Ces aquarelles sont pour ma femme, Geneviève
Compagne de tous les voyages

Avec nos affectueuses pensées.
Joyeux Anniversaire,
Claude et Suzette
Nice, 6 Janvier 2008.

ISBN 2 84135 335 4

Des jardins sur la Riviera

Rêves & Délires exotiques

Aquarelles et commentaires
Alain GOUDOT

IMPRESSIONS
DU SUD

ÉQUIN●XE

SOMMAIRE

DE JARDINS EN JARDINS

Les aquarelles présentées dans cet ouvrage sont celles d'un amateur qui visite les jardins du monde et parcourt ceux de la Riviera, le plus souvent pour son plaisir, mais aussi pour l'exercice de sa profession.

Ces images de jardins sont réparties sur une vingtaine d'années et elles traduisent l'état du site selon l'époque ou la saison. Il est certain que ces jardins ont évolué, se sont transformés ; quelques-uns ont même disparu.

Il en va ainsi de cet art en mouvement. Mouvement du temps qui fait croître sans cesse la végétation, mais aussi mouvement des hommes : succession de différents propriétaires qui, généralement, souhaitent marquer de leur empreinte leur nouvelle acquisition ou qui, par manque de connaissance, n'apprécient pas à sa juste valeur l'œuvre qu'ils viennent d'acquérir.

Le site de la Riviera, propice à toutes sortes d'acclimatations végétales, la variété des populations venues de tous les continents et l'ambiance festive favorable aux excentricités, ont incité les créateurs à toutes les exubérances. La violence du site : orages et pluies, pentes très abruptes, soleil éclatant, l'ensemble de ces éléments climatiques excite beaucoup l'imagination et les jardins de la Riviera en sont l'illustration.

Le trait principal de ceux-ci est l'extrême éclectisme des styles et des inspirations. On retrouve sur ce littoral une *collection d'idées de jardins* : souvenirs de voyage, performances botaniques, vagues réminiscences, pastiches ou copies, caprices ou folies... En quelque sorte, un inventaire des inspirations diverses, à l'origine de la création de ces jardins.

Dans cet ouvrage, ils sont présentés dans l'ordre à peu près chronologique de leur création. Chacun d'entre eux veut être le témoin d'une époque, d'un style ou d'un courant, mais l'originalité de la plupart échappe à toute classification.

LES MOMENTS INSPIRÉS

Sur un petit territoire, à la rencontre des Alpes et de la Méditerranée, une étroite bande littorale a eu une vocation particulière.

Elle a attiré, à partir du XVIIIᵉ siècle, mais surtout au XIXᵉ, de nombreux européens originaires des états se déclarant *maîtres du monde*, grâce à la conquête de leurs immenses empires coloniaux et à la suite d'une conférence mémorable où ces états s'étaient réparti les zones d'influence et de protection sur l'ensemble de la planète.

Les parcs et jardins reflètent la magnificence et la fantaisie débridée de ces richissimes et capricieux propriétaires.

Le XXᵉ siècle, avec la mode de la saison d'été et la facilité accrue des déplacements, a prolongé ce phénomène d'attraction.

Et la Riviera s'est vue agrémentée de créations hétéroclites : néo-médiévales, néo-mauresques, néo-gothiques, néo-classiques, néo-romaines, qui se déclinent sur un espace relativement réduit.

La porte vers le ciel

COLETTE, qui s'était installée dans sa modeste propriété du Var, *La Treille Muscate*, commentait avec son talent d'écrivain ces manifestations spectaculaires : « *Déjà le lyrisme, déjà le délire ? les bords méditerranéens ont saoulé plus d'une tête solide. Il passe sur la pinède proche un vent chargé de résines et les labiées de la côte distillent le camphre, l'esprit de lavande et de mélisse* ».

Ainsi, Prosper MÉRIMÉE, venu sur la Riviera pour y remplir sa mission d'Inspecteur général des Monuments Historiques et qui, séduit par le site, devint un fidèle hivernant cannois de 1856 à 1870, écrivait dans l'une de ses lettres : « *Je persécute l'Impératrice pour qu'elle se fasse bâtir une villa grecque dans l'île de Lérins. Dites-lui donc le plaisir qu'elle aurait à se baigner dans une baignoire taillée dans le roc vif, en vraie eau de mer, mais chaude, en vue des Alpes couvertes de neige... »*

Ce projet original est bien représentatif de ce que ce paysage peut inspirer. Il n'a pas vu le jour, mais bien d'autres se sont concrétisés et une *villa grecque*, la Villa Kérylos, a bien été construite à BEAULIEU.

Avant la Riviera

L'époque médiévale nous a laissé quelques beaux jardins, dans la tradition moyenâgeuse, tels celui du Monastère de Cimiez à Nice, celui de l'île Saint-Honorat ou bien encore le jardin du Château de Gourdon. Il s'agit de jardins simplement dessinés en carrés où l'on trouvait des plantes médicinales, des cultures potagères, des fruitiers et quelques fleurs et arbustes d'ornement.

La tradition agricole provençale a aussi fortement marqué le paysage, notamment dans le pays grassois et dans l'arrière-pays niçois où l'on retrouve les planches de culture de l'olivier, l'arbre de la Méditerranée par excellence.

Des jardins anciens, à la française, mais bien enracinés dans la tradition provençale, tels ceux de la Villa d'Andon ou de l'Hôtel de Cabris à Grasse, ou celui du Château d'Entrecasteaux, présentent une parfaite ordonnance classique. Ces jardins sont toujours liés à la présence de l'eau sur le site et de nombreuses fontaines, bassins d'irrigation, canalets, font partie de la composition du jardin.

Jusqu'au XVIIIe siècle, les voyageurs parlent d'un *pays de fleurs et de fruits*. Aux cultures d'oliviers, d'orangers, de vignes et de céréales, venaient s'ajouter aux creux des vallons, de nombreux potagers, le tout apportant une impression de facile abondance. Ces admirateurs de notre région étaient surtout fascinés par l'oranger, pourtant bien connu en France depuis le XVe siècle, mais sans doute, restait-il entouré du mystère des pommes d'or du Jardin des Hespérides.

Hélène TOURNAIRE, dans un joli roman « *Jules empaillé* », qui raconte la transformation de la colline de la Croix des Gardes à Cannes, cite quelques vers de GOETHE, un peu adaptés pour être chantés dans une romance :

Connais-tu le pays où fleurit l'oranger
Le pays des fruits d'or et des roses vermeilles
Où la brise est plus douce et l'oiseau plus léger
Où dans toutes les saisons butinent les abeilles
Où rayonne et sourit comme un bienfait de Dieu
Un éternel printemps sous un ciel toujours bleu

La naissance de la Riviera

C'est avec Lord BROUGHAM, à CANNES, en 1834 que commence la création de *LA RIVIERA* et les magnifiques parcs et jardins qui l'accompagnent.

Ce riche anglais se comporte en véritable aménageur : il achète des terrains, construit villas et jardins pour lui-même et ses amis, négocie avec la municipalité l'éclairage public ou le passage du futur chemin de fer.

En raison de ce découpage parcellaire, un *modèle* de composition de jardin se dégage : les terrains sont toujours en pente avec, devant la maison, une terrasse au tracé régulier ; en contrebas, on crée un jardin paysager ou à thèmes, dans lequel, on passe d'une *salle* à l'autre, de surprise en découverte.

Ce type de composition sera utilisé non seulement à CANNES, sur la colline de la Croix des Gardes ou dans le quartier de la Californie, mais aussi par Lawrence JOHNSTON, aux Serres de la Madone, à MENTON, par Harold PETO à la Villa Maryland à SAINT-JEAN-CAP-FERRAT, ou bien par Ferdinand BAC aux Colombières, à MENTON, pour la collection de jardins de la Baronne EPHRUSSI DE ROTHSCHILD à la Villa Ile-de-France au CAP FERRAT.

En 1874, la ville de CANNES établit *un plan régulateur* qui est une importante source d'information sur l'aménagement des propriétés à cette époque. Tout y est transcrit jusqu'au moindre détail : les allées, le tracé des jardins, les escaliers avec le nombre de marches, les bassins... tout, sauf les plantations. Ce document nous dit tout sur le style et le caractère des ces jardins dont plusieurs subsistent encore de nos jours.

A la fin de la saison d'hiver, avant de quitter leur villégiature, les hivernants pouvaient voir fleurir les plantes à bulbes : jonquilles, iris, jacinthes et freesias. Mieux encore, les fruitiers étaient déjà en fleurs ; les fraises commençaient à mûrir, glycines et mimosas avaient déjà hissé les couleurs. Et l'arbre de Judée ornait le paysage de grandes taches roses.

L'acclimatation

C'est Alphonse KARR, l'un des *promoteurs* de la Côte d'Azur, qui eut l'idée d'envoyer des fleurs coupées dans toute l'Europe, par le train. Grâce au chemin de fer, le commerce des fleurs se développa et des trains entiers acheminèrent quotidiennement des tonnes de fleurs de la Riviera, essentiellement du mimosa en hiver, oeillets et roses tout le reste de l'année.

Le mimosa, plante récemment importée, a tout d'abord effrayé en raison de sa croissance rapide et de son développement incontrôlable.

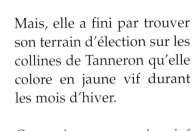

Mais, elle a fini par trouver son terrain d'élection sur les collines de Tanneron qu'elle colore en jaune vif durant les mois d'hiver.

Ce mimosa a inspiré Charles TRENET pour le jardin de sa maison d'ANTIBES, puisqu'une année, il demanda à son jardinier de remplacer tous les oliviers par des mimosas : *il entrait dans sa période jaune.*

Yves MONNIER dans son ouvrage « *Les tropiques réinventés* » décrit fort bien la fièvre d'acclimatation qui s'empare des hivernants dans la seconde moitié du XIXᵉ siècle. Mille essences nouvelles furent acclimatées ; les jardins se sont enrichis de cette variété végétale ; les jardiniers, par leurs échanges entre professionnels, ont apporté des boutures dans leurs jardins et ainsi est né le riche paysage de la Riviera.

Déjà au XVᵉ siècle, un fort engouement était apparu pour les plantes *exotiques*, c'est-à-dire venues des lointaines contrées et François Iᵉʳ fit planter des pins dans son jardin de Fontainebleau.

Ce sont des centaines de nouvelles espèces, venant d'Australie, de Chine ou des Antilles : eucalyptus, catalpas, magnolias, jacarandas, hibiscus et toutes sortes de palmiers qui vont prendre des places de choix dans les jardins de la Riviera.

Le Jardin THURET, au Cap d' ANTIBES, qui porte le nom de son créateur en 1856 témoigne de cet engouement. Confié à la responsabilité de l'Institut National de Recherche Agronomique, il reste un jardin botanique renommé et poursuit l'œuvre d'acclimatation de végétaux. Il en est de même pour le célèbre jardin botanique HANDBURY à VINTIMILLE, actuellement géré par l'Université de

Gênes ou la magnifique palmeraie de BORDIGHERA, à la frontière italienne, qui nous transporte au sein d'une oasis.

Durant ces années inventives, la mode était au mélange des textures, des feuillages, des formes et des couleurs. On pouvait réunir dans un même bouquet d'arbres, des eucalyptus, des pins, des oliviers, des cèdres, des platanes ou des palmiers.

Le brassage des populations, les déplacements des voyageurs, la richesse du sol, le climat propice, les moyens financiers, toutes conditions idéales réunies pour aboutir à *l'invention* de jardins délirants, dont nulle *école* ou *tradition* ou quelconque *retenue* ne peut entraver la mise en œuvre. Ces riches compositions végétales traduisent bien les goûts de luxe de cette Riviera.

On doit également aux hivernants l'apport du gazon. S'il était raisonnable de faire pousser une impeccable pelouse pour la saison d'hiver, c'est devenu une aberration que de vouloir, de nos jours, la maintenir durant la canicule estivale. On n'y parvient que grâce à une irrigation et à des tontes intensives, peu compatibles avec le souci actuel de l'économie de l'eau...
D'ailleurs, les jardins créés avant l'installation des systèmes d'irrigation automatisés, comportaient une sélection de plantes résistant bien à la chaleur et à la sècheresse. Au Château de La Garoupe, au Cap d'ANTIBES, le dernier propriétaire, a passé sa vie à entretenir le parc magnifique que lui avait légué sa famille ; mais il s'est toujours refusé à l'installation d'un système d'irrigation et est ainsi parvenu à maintenir un des plus beaux jardins de la Riviera, avec des plantes de garrigue et de bord de mer, peu avides d'arrosage.

A la fin du XIXe siècle et au début du XXe, il était de bon ton parmi les artistes et les intellectuels de critiquer vivement la Riviera *défigurée* par les villas et les jardins, édifiés par les hivernants. Ils étaient révoltés par les ravages que ceux-ci avaient imposé au paysage méditerranéen avec leurs architectures importées, de styles disparates, leurs pseudo-châteaux, l'introduction massive d'essences étrangères et les jardins de tous styles.

Guy de MAUPASSANT, qui pratiquait le cabotage sur la côte avec son voilier, *Bel Ami*, avait des jugements sévères sur ces styles importés. Citons un passage de son livre « *Sur l'eau* »

« *... et partout, le long de ce rivage démesuré, les villes au bord de l'eau, les villages accrochés plus haut au flanc des monts, les innombrables villas semées dans la verdure ont l'air d'œufs blancs pondus sur les sables, pondus sur les rocs, pondus dans les forêts de pins par des oiseaux monstrueux venus pendant la nuit du pays des neiges que l'on aperçoit là-haut.* »

L'œuvre de Ferdinand Bac

On ne peut aborder le sujet des jardins sans compter avec le grand talent de Ferdinand BAC à qui l'on doit une oeuvre magistrale, l'un des plus beaux jardins de la Riviera, le Jardin des Colombières à MENTON, qu'il réalisa entre 1920 et 1925.

En réaction contre les *errements* du XIXᵉ siècle qui, disait-il, avaient défiguré la région, il prône le retour à l'authenticité et aux origines méditerranéennes et préconise l'abandon des plantes *exotiques*, pour vénérer le cyprès et l'olivier. Surtout, il met en pratique ses idées sur la nécessaire interaction entre le paysage environnant et le jardin aménagé.

Dans le cas des Colombières, il dit avoir voulu « *se faire l'encadreur de la vue du vieux Menton qui, avec ses arcades soutenant la cité médiévale et* sa couronne de cyprès plantée à son sommet, est posé sur la mer ainsi qu'un reliquaire dans un coquillage* ».

Quelques années auparavant, en 1910, à la Villa Croisset de GRASSE, il avait aussi désiré *rétablir* le style méditerranéen, qui l'avait tant charmé lors de ses nombreux voyages. Ses références sont vastes : vénitiennes ou hispano-mauresques, levantines, toscanes ou gréco-romaines. Par exemple, il trouvera *un rouge* dans la peinture du CARAVAGE, qu'il appliquera souvent sur les édifices de jardin et il en conseillera même l'utilisation à l'architecte de la Villa Fiorentina au CAP FERRAT. Celle-ci est d'ailleurs représentée ainsi dans la Revue « *L'Illustration* » de Noël 1922. Depuis, au cours de restaurations et aménagements successifs, elle a perdu sa couleur d'origine.

On peut s'étonner que Ferdinand BAC soit rarement cité par les professionnels du paysage et relativement peu connu en France. Pourtant, il a effectué une réelle révolution dans l'art des jardins et les architectes paysagistes qui érigent dans les jardins contemporains cyprès taillés, jarres de terre cuite et balustres ventrues, s'en inspirent largement, en déclinant ainsi tous les archétypes du jardin méditerranéen. Luis BARRAGAN, grand architecte et paysagiste mexicain, se déclarait le disciple de Ferdinand BAC. Il était d'ailleurs venu lui rendre visite en France, en 1935 et parlait toujours de son art avec beaucoup de déférence.

La Riviera des estivants

Après la première guerre mondiale, la Riviera va connaître les *années folles*. Les horribles épreuves de la guerre passées, il faut tout recréer et un goût de vivre exacerbé se manifeste dans le pays. L'art nouveau s'installe en même temps que la saison d'été, cette fois sous l'impulsion des américains, avec le jazz et le cinéma.

Quelques créateurs de jardins vont dessiner des jardins réguliers, géométriques, *modernes*. Parmi eux, un grand architecte urbaniste et paysagiste, Jacques GREBER, assez méconnu en France, mais célèbre aux Etats-Unis et au Canada. On lui doit les plans directeurs de plusieurs villes et de nombreux jardins dans ces pays ainsi qu'au Portugal et en Italie. En France, il a établi le Plan Directeur de l'Exposition Universelle de 1937 et dessiné des jardins : ceux de l'Espalmador à VILLEFRANCHE et de l'Altana à ANTIBES.

Après le choc de la seconde guerre mondiale, les créations de qualité, dans le domaine des jardins, sont quasiment inexistantes. Dans ces années-là, la préoccupation des populations est au *fonctionnel*, sans l'élan créatif et la volonté de renouveau qui avaient entraîné *les années folles*. Cette époque est une sinistre époque d'espaces verts qui ne cessera qu'avec l'arrivée des nouveaux créateurs de la période post-moderne, dans les années 80.

La Riviera est toujours aussi attractive ; certains caps et certaines baies restent le lieu de villégiature privilégié d'une nouvelle société encore plus cosmopolite qui manifeste beaucoup de goût pour la villa et son jardin.

Actuellement, beaucoup de jardins sont restaurés ou recréés et les nouvelles constructions s'agrémentent souvent de superbes parcs.

Encore et toujours, tous les styles cohabitent et les jardins se transforment sans cesse car l'art des jardins est bien vivant sur la Riviera

*A l'ombre sous les feuillages
et vue sur la mer*

Les jardins...

SOUVENIR MÉDIÉVAL

Autour d'un château fort du XIIIe siècle, un jardin de style médiéval a été restauré en 1974 par le paysagiste Tobie LOUP DE VIANE. Il a engazonné les allées à la manière anglaise et créé un jardin topiaire sur une planche inférieure destinée semble-t-il à l'origine, à un verger ou à des cultures potagères.

Le château édifié sur un nid d'aigle pour assurer son rôle d'ouvrage de défense, constitue actuellement un pacifique et merveilleux belvédère sur le grand paysage, d'où l'on peut voir la mer par beau temps.

Le jardin clos sous la terrasse,
vu vers le belvédère
et vu depuis le belvédère jusqu'à la mer.

UNE MYSTÉRIEUSE ORANGERAIE

Dans un grand carré, clos de hauts murs, une orangeraie très ancienne avec un bassin de réserve d'eau et une maison entourée de jardins plus récents mais très luxuriants, ont été remis en état avec beaucoup de compétence au début des années 80.

Le centre de ce carré est occupé par une curieuse tour de plusieurs étages, dont on ignore la destination. Celle-ci avait d'ailleurs beaucoup intrigué Prosper MÉRIMÉE lors de son voyage sur l'île Sainte-Marguerite en 1834. En effet, certains éléments d'architecture lui rappelaient le XIIᵉ siècle, d'autres le XVIᵉ siècle...

Il semble que ce site ait été occupé par les Espagnols jusqu'au XVIIIᵉ siècle et on leur devrait probablement la culture des agrumes.

Les jardins autour de la maison, représentés sur ces aquarelles, utilisent les essences traditionnelles méditerranéennes mais aussi des plantes acclimatées comme les trachycarpus ou les cannats.

Ce jardin porte haut la couleur, le mystère et l'exotisme, mais la haute tour crénelée garde son mystère .

Peut-être fut-elle l'une des premières *folies* de la Riviera ?

CŒUR DE VILLE,

Le cœur de la ville est un jardin !

Ce jardin classique du XVIIIe siècle, au pied du château, est devenu le centre du village d'ENTRECASTEAUX. Une date sur le portail d'entrée : 1781, semble indiquer son achèvement.

On remarque l'utilisation parfaite de la topographie : l'accès au jardin se fait de plain-pied sur un seul côté ; ensuite, la rue s'enroule autour du jardin comme un escargot, en montant jusqu'au château et depuis la terrasse de celui-ci, on en découvre le magnifique tracé.

Ce dernier utilise tout le vocabulaire du jardin provençal du XVIIIe siècle tel qu'on le retrouve dans les bastides de la région aixoise :

Une fontaine moussue,
au centre d'un bassin rond,
encadrée de quatre parterres
bordés de doubles haies de buis taillés
et quelques feuillus,
composent ce jardin cruciforme.

Ces deux vues « grand angle » montrent la ville
et le château réunis par le jardin.

Le jardin au printemps…

De chaque branche, gouttes vertes
Des bourgeons clairs,
On sent dans les choses ouvertes,
Frémir les chairs

Arthur RIMBAUD (*Les Réparties de Nina*).

A l'automne.

Gournay 89

31

UNE TERRASSE PROVENÇALE

Cette terrasse est celle d'un grand jardin, édifié au XVIIIᵉ siècle sur une colline du pays de Grasse, découpée en planches de culture. Orientée vers le Sud, elle s'ouvre sur un paysage rural traditionnel ; la vue se prolonge, à l'horizon, jusqu'à la mer.

Le jardin comporte plusieurs plateaux, retenus par des murs de pierres appareillées et plantés de fruitiers ; de hauts cyprès signalent la place du jardin dans le paysage.

L'art topiaire est également présent avec des lauriers-sauces taillés de formes diverses.

On accède à la maison par une cour pavée avec un bassin en pierre recueillant les eaux destinées à l'irrigation. Du côté opposé et attenante à la maison, se trouve une cour carrée, fermée sur trois côtés, ombragée de platanes avec une belle fontaine adossée. Devant la façade principale, une terrasse avec une fontaine moussue

Enfin une tèse, grand couloir végétal autrefois destiné à la capture des oiseaux, bordée de deux canalets où ils venaient de désaltérer avant d'être attirés par les fruits des sorbiers de la tonnelle qui dissimulait le piège d'un filet.

Ce jardin bénéficie des eaux d'une source permanente. Un système complexe de réservoirs, canalets et fontaines, distribue l'eau à toutes les plantes.

LA MONTÉE DU CHÂTEAU

Le château fortifié de NICE était placé sur une butte de quatre-vingt-dix mètres de hauteur, plongeant dans la mer, séparant la vieille ville du Port Lympia. Les fortifications et le château furent détruits par les armées de Louis XIV en 1706 et les jardins qui les remplacent ont commencé à être aménagés en 1821 par le baron de MIOLLIS pour la ville de NICE.

Ce parc public arboré, d'une vingtaine d'hectares comporte des rampes d'accès et escaliers découvrant des vues magnifiques sur la Baie des Anges, la vieille ville et le port ainsi que de nombreuses scènes de jardins et une spectaculaire cascade .

Ce rocher, nu à l'origine, a été recouvert de terre et planté d'essences traditionnelles des boisements méditerranéens : pins d'Alep, chênes verts, mais aussi de nombreux arbres acclimatés, des cèdres ou des magnolias.

Dans l'escarpement des rochers, des agaves, cactées et autres aloès ont trouvé leur place.

UN JARDIN À LA CROIX DES GARDES

La colline de la Croix des Gardes, autrefois couverte de cultures d'orangers et d'oliviers a été le site de départ des grands aménagements de la Riviera.

C'est Lord BROUGHAM qui a été ce premier *aménageur* avant l'arrivée du chemin de fer. Il a acquis quelques terrains et invité ses amis anglais à venir passer l'hiver. En quelques années, cette colline occupée par des horticulteurs s'est couverte de grands jardins de style composite comme l'architecture des villas nouvelles.

Son jardin, conçu par Gilbert NABONNAUD, ingénieur et pépiniériste à Golfe Juan en 1860, illustre bien le goût anglais pour la profusion des essences végétales et la passion de la botanique.

L'on y trouve des oliviers mais aussi des tamaris, des bambous ou bien des orangers. Si bien qu'en 1936, Ernest de GANAY dira du jardin de Lord Brougham qu'il est devenu un « jardin-musée ».

Contrairement à la Toscane où les mêmes anglais ont eu à cœur de reconstituer les jardins de la Renaissance d'après les peintures qui les représentaient (en particulier les lunettes de UTENS pour les jardins des Médicis), ils ont importé leurs conceptions sur la Riviera, semblant méconnaître les jardins traditionnels de Provence.

LES ACCLIMATATIONS COMPOSÉES

Dans la seconde partie du XIXe siècle, une fièvre d'acclimatation de végétaux venus des Antilles, de l'Afrique ou encore des comptoirs asiatiques s'est emparée des Européens vivant sur la Riviera.

Les villes de BORDIGHERA ou d'HYÈRES étaient d'importants centres d'importation de végétaux. Mais certains jardins privés, tel celui de Gustave THURET, créé en 1856 à Antibes, ou celui de Sir HANDBURY à LA MORTOLA, à la frontière franco-italienne, ont importé et acclimaté plusieurs milliers d'espèces nouvelles

La mode était alors aux compositions végétales très *mélangées* pour obtenir le plus grand nombre de textures, de couleurs et de formes. Le cèdre avoisine l'olivier, le palmier, l'eucalyptus, le chêne, le platane et le cyprès.

Une de ces compositions particulièrement riche est présente dans ce jardin de la villa construite pour la Baronne de ROTH-SCHILD à Cannes, en 1881, actuellement Médiathèque de la ville de CANNES.

Un mini-jardin exotique
dans une terre cuite de Toscane

39

UN JARDIN ROMANTIQUE

Il s'agit d'une partie du jardin que Gustave EIFFEL avait réalisé autour de sa villa de BEAULIEU à la fin du XIXe siècle. C'était un parc paysager dans le style de l'époque, tout en courbes, avec fabriques, gloriettes, pergolas, colonnades, quelques sculptures et même un astrolabe.

Abandonné, puis partiellement détruit par la construction d'un immeuble, le jardin a été restauré en 1980. Les grands arbres ont été sauvés ainsi qu'une grande allée de palmiers allant vers la mer et un champ d'oliviers.

De nombreux éléments de sculpture démantelés ont été relevés et remis en situation

Cette aquarelle représente une scène du jardin telle qu'il a été restauré, parmi les oliviers.

LE COURANT ORIENTALISTE

Né au XVIIIe siècle dans la littérature avec la traduction des *Contes des Mille et Une Nuits*, les *Lettres Persanes* de Montesquieu ou les *Contes* de Voltaire, ce courant a envahi la peinture du XIXe.

Entre 1850 et 1930 environ, l'architecture et les jardins de la Côte d'Azur ont également connu cet engouement oriental.

Bien que certains peintres ou architectes n'aient jamais traversé la Méditerranée, leurs œuvres n'en sont pas moins *orientales*.

Des jardins partagés en quatre parties par des canaux tracés perpendiculairement, avec des bassins à leur intersection, ou des orangeraies irriguées au moyen de canalets de terre cuite, nous rappellent que ce sont les Arabes qui ont ramené le fruit d'or de leurs conquêtes avant le Moyen-Âge.

Pages suivantes, ce sont les rives du Bosphore qui ont inspiré le bâtisseur. Un pavillon rose, des jardins odorants et une palmeraie qui descend vers la mer. C'est tout ce qu'il reste d'un jardin et d'un magnifique palais détruits par les bombardements de 1944.

Il avait été édifié en 1884 à La Seyne-sur-Mer par Michel PACHA, ancien directeur des phares et balises de l'Empire Ottoman, qui fut maire de cette ville.

UNE ROSERAIE SOUS LA PINÈDE

Un grand parc paysager de plusieurs hectares en bord de mer a été conçu à la pointe du cap d'Antibes autour d'une demeure imposante construite entre 1868 et 1870 par le Directeur du FIGARO dans le but de recevoir les écrivains qui voudraient s'y reposer l'hiver. La demeure a rapidement changé de destination et c'est depuis longtemps un grand hôtel.

Ce parc possède un jardin romantique, représenté page suivante, souvenir d'une fidèle cliente anglaise qui avait l'habitude de louer la moitié de l'hôtel pour toute la saison d'hiver.

Quelques plantes succulentes donnent le caractère exotique côté mer. Des massifs de lauriers roses, d'hortensias, et cyprès « bien peignés », sont disposés avec un grand sens de la composition florale, des talus sont recouverts de milliers d'agapanthes qui les colorent en bleu tout le mois de juillet.

La qualité de l'entretien de ce parc n'est pas étrangère à son charme et à sa réussite. Les pins, par exemple, sont en voie de disparition dans de nombreux jardins du Cap d'Antibes, en raison de leur vieillessement, de maladies, ou par manque d'entretien.

Ici, ils sont taillés tous les trois ans, par rotation. Ils gagnent ainsi en robustesse et en résistance, participant ainsi à la conservation des espaces boisés du Cap d'Antibes.

A proximité du bâtiment principal s'étend une étonnante roseraie dont l'exploitation est uniquement réservée à la décoration florale de l'hôtel. Elle comporte plusieurs carrés délimités par des allées couvertes de pergolas rustiques avec glycines, bignones et jasmin.

Cet ensemble produit une grande quantité de fleurs : l'œil y trouve une riche palette de couleurs et la décoration, une fraîcheur constamment renouvelée.

LE JARDIN BOTANIQUE
DU MUSEUM

A MENTON, sur les pentes de la colline bien abritée de Garavan, sur moins d'un hectare, près de 1.400 espèces et sous-espèces végétales différentes ont été importées de toutes les parties du monde.

Ce jardin a été créé au début du XXe siècle par un général anglais en retraite. La dernière propriétaire, anglaise passionnée de botanique (on la surnommait « la dame aux daturas ») a développé les collections de plantes et étendu le domaine jusqu'à se ruiner.

En 1967, le Museum National d'Histoire Naturelle s'est rendu acquéreur de la propriété et le Professeur Yves MONNIER, ethno-botaniste, en est depuis plusieurs années le conservateur. Il a développé les collections mais aussi créé des scènes de jardin remarquables.

Le parcours commence par la terrasse, l'élément classique du jardin méditerranéen, avec ses daturas et ses vues lointaines ; ensuite, un jardin topiaire derrière la maison, la campagne avec les vieux oliviers rappelant l'état originel de la propriété, le jardin « mexicain », le « sauvage », un jardin d'ombre, la collection d'agrumes, un potager « mentonnais », un autre « américain », le jardin d'eau et la gloriette.

Grâce à la variété des plantations, les floraisons se déclinent à chaque saison ; ainsi, tout au long de l'année, le jardin se transforme et chaque visite apporte son lot de surprises et d'émotions.

On peut citer Yves MONNIER lorsqu'il parle de la vocation du jardin « ... *loin des nuisances sonores et olfactives des rues saturées, terre épargnée par le béton et par le goudron, le jardin est une oasis de silence, et un refuge pour la vie* ».

La rose centifolia.

Coquelicots et pavots des Indes.

UN JARDIN TROPICAL

Située à proximité de la frontière franco-italienne, cette propriété a été conçue pour Ferdinand de LESSEPS par Charles GARNIER, architecte notamment des opéras de Paris et Monte-Carlo, à la fin du XIXe siècle.

Il a passé une partie de sa vie sur la riviera et Bordighera garde le souvenir de ses œuvres, en particulier de la villa qu'il se fit construire dans une grande palmeraie.

L'architecture de cette demeure est plus légère que les constructions officielles de cet architecte

Le jardin abrite une collection de palmiers et, en particulier, des strelitzias géants atteignant sept à huit mètres de hauteur.

Le parc est dessiné à l'anglaise et des massifs de roses, de lauriers et de différentes vivaces accompagnent les allées. Tout en bas de la propriété, on trouve des bassins, grottes et jardins d'eaux dans le style de l'époque.

Situé en bord de mer, ce jardin offre des vues somptueuses sur la silhouette de la vieille ville de Menton, qui est à elle seule un véritable paysage, avec ses maisons hautes et colorées, les campaniles des églises baroques et son célèbre cimetière planté de pins et de cyprès. Le tout sur fond du Massif des Alpes avec le rocher en *tête de chien* de la Turbie.

Vue sur Menton.

Au bout du jardin : le paysage est italien.

LE MIROIR SUSPENDU

Un jardin autour d'une villa située sur le flanc sud-ouest du Cap Martin, très bien protégé du vent, sur un terrain d'abord en pente douce vers le Sud puis beaucoup plus abrupt et rocheux vers la mer.

L' architecte danois TERSLING, qui a laissé des œuvres remarquables dans la région de Menton, a construit cette demeure au début du siècle dernier. Une promenade sous la villa le long d'un balcon continu, offre des vues magnifiques : à l'Ouest, vers Monaco, le Mont Agel et la Tête de Chien et au Sud jusqu'à l'horizon sur la mer.

Cet architecte a également construit non loin de là, une autre villa, pour le célèbre banquier Albert KAHN, auteur d'un jardin collectionniste à Saint-Cloud.

L'intérêt du jardin vient de ses nombreuses compositions végétales. C'est un mélange de plantes locales et de plantes acclimatées : des oliviers, des pins et un bois de chênes verts très dense, une orangeraie, des palmiers, de très beaux jacarandas, des eucalyptus et des cèdres.

La variété des textures, les couleurs, les formes, les feuillages si divers apportent un effet de luxuriance, d'exubérance qui ne peut appartenir qu'à la Riviera. De même pour les arbustes et plantes vivaces : les lauriers roses côtoient les agaves, aloès et autres ficoïdes, ou bien les romarins bleus partagent les terrasses avec les hibiscus, les yuccas et strelitzias. Pour faire bonne mesure, la descente à la mer s'accompagne de faux rochers et d'éléments empruntés au style rocailleur, agrémentée de plantes succulentes.

UN PORTIQUE POUR LE JASMIN

Cette pergola orne l'un des plus beaux jardins de la Riviera.

Elle en est un modeste mais riche élément car elle s'agrémente d'une grande variété de plantes grimpantes : bignones, jasmins, chèvrefeuilles, et même d'un olivier, d'ecchiums, de fuchsias, de capucines…

Ce jardin a été créé en 1907 par lady ABERCONWAY, qui avait déjà conçu les jardins de son château de BODNANT en Angleterre.

Son petit-fils récemment disparu, s'est toujours employé à la conservation de ce jardin, recherchant constamment les plantes supportant la sècheresse de l'été car le recours à l'irrigation artificielle était exclu dans ce jardin d'un grand raffinement.

Un vaste parterre de plantes de garrigues, souvent photographié, un jardin blanc renommé, le jardin de l'astrolabe, un grand escalier végétal qui descend vers la mer, une allée d'oliviers anciens, des roses, des iris, sont réunis sur plusieurs hectares dans une composition magistrale, qui comporte deux grands axes, l'un descendant vers la mer et l'autre perpendiculaire et horizontal, orné à chacune de ses extrémités par un pavillon en treillage de bois de couleur blanche.

La glycine, une des premières floraisons de l'année.

UN ESCALIER D'EAU
VERS LA MER

Un des jardins les plus attachants de cette « collection ». C'est sans doute dû au maître des lieux, William WATER-FIELD, qui y consacre tout son temps avec une vraie passion pour cette œuvre. Il a notamment ajouté à la création originale une belle collection de bulbes que l'on peut voir dans une série de pots disposés en carrés.

Ce jardin est aménagé en terrasses traditionnelles sur la pente naturelle du terrain orientée vers le Sud. C'est un foisonnement de plantes disposées harmonieusement et chaque coin de ce jardin représente une composition particulière et surprenante.

La terrasse devant la maison est ornée d'une colonnade couverte d'une très ancienne glycine qui « cadre » la vue sur la rade de Menton.

Le célèbre escalier d'eau « *dont la dernière marche est la mer* » dément la théorie du grand architecte et paysagiste mexicain Luis BARRAGAN qui ne tolérait pas de jardins devant la mer.

Ici le jardin est toujours un magnifique premier plan des vues vers la mer.

W. WATERFIELD
le maître des lieux

La dernière marche du jardin…

LA RÉFÉRENCE MÉDITERRANÉENNE

Ces aquarelles datent de plusieurs visites entre 1986 et 1991.

Pendant ces années, c'est Madame LADAN-BOCKAIRY, descendante des propriétaires de ce jardin, qui recevait les visiteurs, leur offrant le thé, jouant quelquefois du piano.

Le jardin était très peu entretenu et chaque année, de visite en visite, on voyait disparaître quelques plantes, s'écrouler quelques pans de mur ou se casser quelques poteries.

Il a été depuis très bien restauré en 1994 dans le respect de l'esprit de son célèbre créateur, Ferdinand BAC.

Après plusieurs essais (les jardins de la villa Croisset à Grasse ou ceux de la villa fiorentina au Cap Ferrat) Ferdinand BAC, a signé là son chef-d'œuvre, à la gloire de la culture et de la tradition méditerranéenne. C'était dans les années vingt, avec le but avoué de Ferdinand BAC de « rénover l'art méditerranéen » après les « égarements modernes » peu appréciés du petit-fils, non reconnu, dit-on, de Jérôme Bonaparte.

Il inscrit d'abord son œuvre dans le paysage, en créant des plateaux, des allées qui déterminent une *descente triomphale* vers la mer. Il se soucie des vues que l'on peut avoir vers Menton, sachant qu'à l'inverse, depuis Menton, l'on verra son jardin-paysage. Son principal souci est de « *capter le panorama en l'encadrant* ».

C'est une succession de salles vertes, de rotondes, entourées de cyprès taillés en arcades, jardins clos sur une façade en trompe-l'œil, fontaine dédiée à Nausicaa, bosquet voué au dieu Pan sous un caroubier millénaire. La maison fait partie du jardin ; elle est ornée de grandes fresques qui représentent l'Orient, l'ère gréco-romaine, hispano-mauresque et italienne.

Ferdinand BAC, écrivain, journaliste, dessinateur, caricaturiste, talentueux touche-à-tout avait bien dit que « *lorsqu'on ne peut se réclamer d'aucune profession, il n'est pas défendu de se proclamer paysagiste* ».

La Rotonde de Ferdinand Bac

Le jardin de Pompéi

le théâtre de Toscane

Trois esquisses dans le goût de Ferdinand BAC.

TOUS LES JARDINS DU MONDE

Les visites de ce jardin ont eu lieu entre 1988 et 1991, été comme hiver.

Le jardin était alors presque abandonné. Depuis, un nouveau gestionnaire a pris en charge la propriété et les jardins ont été magnifiquement restaurés. Ils ont retrouvé le faste de l'époque de leur création.

Cet étonnant et célèbre parc, créé entre 1905 et 1912, par la baronne Béatrice EPHRUSSI de ROTHSCHILD. Elle avait demandé des plans et des conseils aux paysagistes les plus renommés de l'époque, WALLACE, Harold PETO, Achille DUCHÊNE et même Ferdinand BAC, pour en garder ce qui lui semblait bon, et elle a effectué elle-même le tracé sur le terrain. C'est une succession de jardins de différents styles, disposés comme des séquences d'une grande composition autour d'une terrasse principale, dans le prolongement de la villa construite sur le seul terrain du CAP FERRAT d'où l'on peut voir la mer à l'Est et à l'Ouest.

La terrasse supérieure est un jardin à l'Italienne avec son axe de bassins et cascades qui monte jusqu'à un petit temple rond, abri d'une sculpture délicieusement romantique.

Autour, le jardin et le patio espagnols, le jardin lapidaire, le jardin japonais, le jardin exotique, le jardin anglais, la roseraie…

L'été, le jardin espagnol

Lumière d'hiver sur le bassin.

LE JARDIN
DES ROMANCIERS

C'est l'écrivain espagnol BLASCO IBA-NEZ, en exil à Menton en 1920. qui a souhaité ce jardin autour de sa maison, en hommage à ses grands maîtres en littérature et en mémoire de sa province natale de Valence en Espagne.

La construction de ces **jardins de lecture** a été très longue et chaque détail a fait l'objet de maintes réflexions. Elle fut achevée en 1926 mais l'auteur ne put guère en profiter car il mourut en 1928.

La maison de l'écrivain, avec sa grande bibliothèque, a été récemment démolie. Elle manque beaucoup à la composition du jardin car elle était le point focal qui distribuait l'ensemble de l'aménagement.

Un bâtiment latéral subsiste, enduit de couleur vive, avec l'inscription « FONTANA ROSA », bien visible depuis la voie de chemin de fer, pour indiquer à ses amis, avec humour, qu'ils étaient arrivés.

La partie du terrain qui est en pente est découpée en planches plantées d'alignement de cyprès, de colonnades ou d'orangers. Les escaliers les reliant sont couverts de glycines ou de chèvrefeuilles.

LES CÉRAMIQUES

Une grande originalité de ce jardin est la présence constante de terres cuites vernissées et très colorées. Ces frises de céramique ornent l'architecture, les bassins et des pots à facettes de grande taille.

Les bancs sont également ornés de carreaux de céramique aux dessins géométriques à dominante bleue ou verte ; les frises sur les pots et dans l'architecture sont une succession de roses rouges et jaunes ou de citrons et d'oranges pour rappeler les orangeraies de Valence.

Un salon de lecture.

TROGLODYTES
ET CASCADE

En utilisant une cascade naturelle et quelques grottes anciennes taillées dans une falaise, un paysagiste des années trente a conçu, à VILLECROZE, un jardin public très bien structuré.

Au sol, des bassins successifs recueillent les eaux de la cascade et les accompagnent jusqu'à leur exutoire dans une petite rivière. Ce dessin très géométrique est accompagné d'alignements d'arbres et d'arbustes taillés.

La falaise protégeant le site du mauvais temps et du froid trop rigoureux, de nombreuses plantes provenant des pays chauds, ont pu être acclimatées, notamment des palmiers et des fruitiers dans un verger.

Le lieu charmant est peu connu et l'eau qui court sous les ombrages favorise une délectation de l'art des jardins bien présent ici.

LE PAYSAGE EXOTIQUE

Le jardin exotique de MONACO participe du paysage. Venant de Nice, on le perçoit très nettement sur la paroi presque verticale, face au célèbre rocher avec lequel il entretient un dialogue permanent.

Ce jardin a été créé en 1933 ; il a nécessité des travaux acrobatiques. De vrais rochers sont mêlés aux faux et les escaliers empruntent au style *rocailleur* leurs faux bois en ciment.

La collection de plantes exotiques est remarquable. Situées à proximité du jardin, des serres préparent constamment le renouvellement des plantations. Ce jardin est devenu une référence mondiale pour sa collection de plantes succulentes.

81

Le jardin et la montagne.

Le jardin, le Rocher et la mer.

LE JARDIN PROVENÇAL

C'est celui que le Vicomte de NOAILLES, fin botaniste, a recréé à Grasse en 1947, à partir d'un modeste jardin traditionnel, l'Ermitage de Saint-François, remarqué par Ferdinand BAC en 1908 qui aurait dit-il, marqué le départ de sa vocation tardive de paysagiste.

Le Vicomte de Noailles possédait une bibliothèque botanique importante et rencontrait souvent les paysagistes. René PEUCHERE ou Russel PAGE ont participé à son œuvre ; il a aussi écrit avec Roy LANCASTER en 1974 un livre qui fait encore autorité pour les amateurs de jardins méditerranéens.

Abondamment planté d'oliviers, ce jardin est une succession de planches taillées dans la colline ; il est abreuvé par une source permanente et des travaux hydrauliques amènent l'eau à chaque plante selon ses besoins.

Lorsque l'on se promène avec délice sur ses pentes, on voit continuellement la colline en face, elle-même découpée en planches de cultures d'oliviers. Ces deux collines en vis-à-vis sont exemplaires du paysage rural traditionnel du pays de Grasse.

On est charmé par le superbe jardin de pivoines multicolores, bien abrité par ses haies de cyprès, par les fragrances du jardin d'herbes, le chant des jardins d'eaux, la fraîcheur de l'eau courante dans les canalets.

On peut aussi citer la prairie plantée de magnolias apportant la première floraison de l'année et le rose de l'allée d'arbres de Judée au Printemps, parmi les nombreuses scènes remarquables de ce jardin.

UN JARDIN ANGLAIS
SUR LES TERRASSES

Cette propriété de plusieurs hectares doit probablement son nom à l'ancienne exploitation d'orangers existant autrefois sur ces planches.

Au XIXe siècle, l'industrie de la parfumerie à Grasse, consommait beaucoup de fleurs d'orangers et plus tard un apéritif renommé, fabriqué à Golfe Juan, utilisait les écorces d'oranges qu'on appelait les « coulanes ». Au déclin de la parfumerie et après la disparition de l'apéritif, cette exploitation, a cessé et les orangers, fragiles, n'ont pas résisté au manque d'entretien et ont disparu.

Ces anciennes planches de culture ont été engazonnées et le propriétaire a souhaité aménager son jardin ailleurs, sur la plate-forme supérieure invisible dans le paysage, mais bien visible depuis la maison.

Son goût pour la botanique l'a amené à mêler plantes locales et plantes acclimatées. Nombreuses et bien placées, elles accompagnent avec abondance le chemin d'accès et les abords de la maison. Les tailles et les coupes se font tardivement pour garder le plus longtemps possible le caractère luxuriant de ces jardins.

Une très grande pelouse entourée de compositions végétales diverses, généralement très ordonnées, ménage des vues vers les collines proches et la montagne plus lointaine.

LA MAISON DU JARDINIER

Sur les collines niçoises, le jardinier demeure dans cette maison attenante à un grand parc.

Ces deux vues montrent les espaces aménagés ; d'autres le sont beaucoup moins, encombrés de divers outils, de poteries en attente de boutures, de plantes en cours de déplacement, de divers récipients pour mélanger les fumures etc… Ces lieux cachés peuvent avoir beaucoup de charme, selon la saison ou les préparations du jardinier.

Celui-ci eut beaucoup d'importance dans la création du paysage de la Côte d'Azur. C'est lui qui prélevait des boutures des essences importées dans les grands jardins des hivernants et les distribuait au voisinage. Il a ainsi favorisé leur développement dans les jardins locaux mais aussi dans les villes et les espaces publics.

Certains jardiniers-producteurs continuent encore cet exercice, pour le maintien de la biodiversité nécessaire mais aussi pour continuer l'acclimatation des végétaux exotiques .

La bignone monte l'escalier.

LE JARDIN VERTICAL

Une villa a été construite une trentaine de mètres au-dessus du niveau de la mer, sur des rochers à forte pente. Ce site est orienté plutôt vers le Sud et protégé à l'Est par un Cap qui s'avance dans la mer.

Depuis une cinquantaine d'années, les jardiniers de cette propriété créent chaque année, d'étroits escaliers et chemins maçonnés dans les enrochements, comblent chaque interstice de terre végétale et plantent arbres, arbustes et vivaces.

Les pins s'éloignent du rocher pour mieux s'épanouir au-dessus de la mer de manière inquiétante ou spectaculaire. Les arbustes et vivaces, en grande quantité, des bougainvillées violettes aux plumbagos bleu clair, donnent de la couleur presque toute l'année.

Sous les pins, la promenade quelquefois vertigineuse, avec des vues vers la mer et les rivages voisins, est toujours d'une rare beauté.

Les jardiniers ont si bien travaillé que ce jardin, entre la route du littoral et la mer se voit de loin, comme le socle vert d'un immense rocher sec et dénudé montant à plusieurs centaines de mètres.

Le jardin est devenu un élément du grand paysage de la Riviera.

ENTRE MER ET MONTAGNE

Ce jardin clos côté montagne et ouvert sur la mer fait partie d'un grand parc paysager de la fin du XIXe siècle.

De ce lieu privilégié, on peut voir le vieux village de ROQUE-BRUNE sur un fond montagneux et la mer en contrebas à travers une dense pinède.

Ce parc contient une remarquable collection de plantes acclimatées. Des jacarandas, un champ d'agrumes, des succulentes, plusieurs espèces de palmiers, descendent dans les rochers vers la mer ; sur le plateau le plus haut, un bois de chênes verts très ancien, très dense ne laisse pas passer un seul rayon de soleil...

UN JARDIN VENU DU BRÉSIL

C'est celui de la villa *Nara Mondadori*, construite en 1968 par l'architecte Oscar NIEMEYER pendant son exil en France. Si le dessin, tout en courbes savantes, est bien celui de Niemeyer, le jardin n'a pas l'exubérance des plantes tropicales qui accompagnent généralement son architecture. Sa composition est celle d'une rivière centrale, avec ses courbes et ses seuils, commençant derrière la maison et se terminant dans la piscine, dont les eaux semblent se déverser dans la mer.

Le terrain est modelé de quelques vallonnements sous une pinède ancienne. Ces formes douces sous les pins forment un premier plan lorsqu'on regarde la mer.

La partie végétale a été traitée par le célèbre paysagiste florentin Pietro PORCINAI et ses compositions très subtiles viennent colorer l'ensemble.

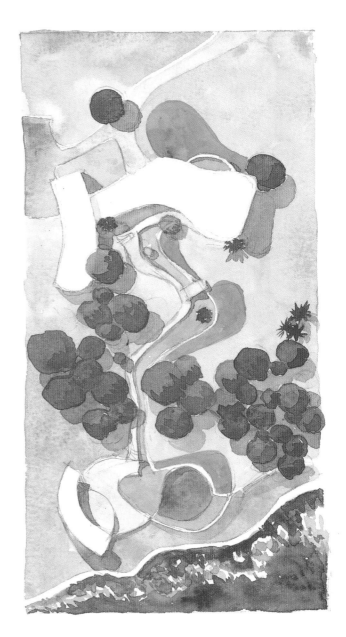

Sous l'auvent, vers la mer.

LE BALCON EXOTIQUE

Créé en 1949 par Jean GASTAUD, ingénieur et pépiniériste, pour la commune d'EZE, sur le site du château. Le versant Sud protégé des pluies de l'Est, et un climat sec favorable à la croissance des plantes succulentes ont permis la composition de ce jardin exotique.

Ce balcon sur la Riviera, qu'il domine de plusieurs centaines de mètres, offre des vues très lointaines sur le Cap Ferrat, le Cap d'Antibes et l'Estérel.

Ce panorama spectaculaire est fréquemment reproduit dans les dépliants touristiques et il a été au XIXᵉ siècle très souvent représenté par les peintres niçois.

Depuis ce *balcon*, par temps clair, on peut voir, vers le Sud, la Corse et l'île d'Elbe.

UN JARDIN BELLE ÉPOQUE

Les jardins de ce petit château, construit en 1905, avaient disparus par suite de divisions de terrains successives.

Pour faire le « tour du château », ils ont été recréés entre 1991 et 1993, avec l' aménagement de la terrasse attenante au château vers le Sud et la mer, ses bassins et cascades, puis en descendant, une roseraie sur une pergola. Une grotte et son bassin en faux rochers de l'époque de la construction ont été replacés en fond de perspective.

Quelques planches d'oliviers, des plantations d' orangers au pied de la terrasse ainsi qu'un jardin exotique ont également été aménagés.

La roseraie n' est autre que la collection de roses anciennes du maître des lieux, allant des fleurs les plus simples aux plus sophistiquées. Parmi elles, on reconnaît *la rose aux cent feuilles* et son parfum incomparable.

L'angelot porte un petit bac rempli d'eau
où flottent des pétales de roses.

Vice et versa.
C'est le même jardin avec d'un côté, la grotte vue depuis
la terrasse et de l'autre, la terrasse vue depuis la grotte.

Les carpes Koï, aussi indispensables au jardin japonais que les cerisiers ou les bambous montrent des couleurs, des assemblages de nuances surprenantes : oranges, dorées, blanches à taches rouges et noires et même une carpe d'un bleu franc.

LE JARDIN JAPONAIS

Ce jardin entre la ville et la mer est le contrepoint vert, horizontal nécessaire à la verticalité des tours du Quartier du Larvotto à MONACO, que l'on voit se refléter dans ses bassins miroirs.

Il a été conçu par le paysagiste japonais YASUO POPPU et inauguré en 1994.

S'il possède les ingrédients traditionnels du jardin japonais, rochers et cascades, graviers peignés, érables pourpres pins tortueux, cerisiers et bambous, les essences locales, pins parasols et oliviers ont été associées, et ne déparent pas le décor.

Ce jardin adossé à la ville, mais en bord de mer, dispense un grand calme, une certaine paix et une ambiance sereine malgré la proximité des constructions et l'animation de la ville.

Fleur de tulipier.

Le jardin entre la ville et la mer.

UN BASSIN UTILE

Ce bassin est alimenté par une source et l'eau est ensuite redistribuée dans le jardin par un système d'irrigation automatique.

Bien qu'utilitaire, ce bassin a été agréablement aménagé.

On a installé un banc sous un tilleul, une colonne ancienne ornée de rosiers grimpants, une pergola couverte de jasmins. Une allée plantée d'un double alignement de chênes verts donne à ce bout de jardin, isolé du reste du parc, une harmonieuse quiétude.

SOUS LES OLIVIERS

A proximité de VENCE, une grande demeure devenu château-hôtel, est installée dans la pente, dominée par une falaise rocheuse.

Côté Sud, une terrasse surplombe la ville et la vue s'étend jusqu'à la mer distante d'une vingtaine de kilomètres. Côté Nord, une grande cour d'accueil est entourée de lauriers taillés pour former des arceaux.

C'est une ancienne propriété agricole, qui s'étend sur plus de 12 hectares, avec des planches d'oliviers, retenues par les murs de pierres et d'anciennes serres désaffectées

En 1995 une grande partie du parc a été remodelé et le style provençal a été conservé.

Les planches ont été restaurées et reliées entre elles par des escaliers, pour constituer une promenade offrant de beaux panoramas sur la montagne.

L'été, le restaurant profite des ombres mouvantes et aléatoires des oliviers.

UN JARDIN CALME

Exposé plein Est, face aux tempêtes d'hiver, les rochers plantés de pins tourmentés étaient très inhospitaliers. L'horizontalité et le moelleux du tapis de soizya ont pacifié ce paysage hostile. Entre les rochers, dans les niches propices, pourpiers et autres ficoïdes, se plaisent à vivre là.

Ouvrages consultés

- Marius AUTRAN – *Scènes de la vie seynoise d'antan* - 1998
- Ferdinand BAC – *Villas et jardins méditerranéens* – l'Illustration – Noël 1922
  – *Les Colombières* – l'Illustration - 19 février 1924
- Ernest BOURSIER MOUGENOT
  – *Les jardins de la Côte d'Azur* – Edisud – 1987
  – *Les jardins de la riviera* – La Métis
- Marc BOYER – *L'invention de la Côte d'Azur* – l'Aube – 2002
- Christian BYK – *Guide des jardins de la Provence et de la Côte d'Azur* – Berger-Levrault/ Nice-matin 1988
- Gilles CLEMENT – *Eloge des vagabondes* – Nil – 2002
- COLETTE – *Prisons et paradis* - Fayard –1932
- Jean-Pierre DEMOLY, Alain RENNER, Michel STEVE – *La Villa Ephrussi de Rothschild* – Editions de l'Amateur - 2001
- Ghislain DE DIESBACH - *Un Prince 1900 Ferdinand Bac* - Perrin - 2002
- Pierre GASCAR - *Un jardin de curé* – Stock – 1979
- Octave GODARD – *Les jardins de la Côte d'Azur* - Massin 1927

- Louisa JONES – *Splendeur des jardins de la Côte d'Azur* – Flammarion – 1993
- Guy de MAUPASSANT - *Sur l'eau* – 1888
- Prosper MÉRIMÉE - *Voyage dans le midi de la France* – 1835
- MEIFFRET – *Guide d'Antibes et ses campagnes* - 1876
- Camille MILLET-MONDON - *Cannes 1835-1914* – Serre 1986
- Yves MONNIER – *A val Rahmeh, les plantes m'ont raconté des histoires d'hommes* – Demaistre 2000
- Jean RACINE Françoise BINET – *Jardins de Provence* – Edisud - 1987
- Georges Sand – *Lettres d'un voyageur* – Revue des deux mondes – Paris 1868
- Hélène TOURNAIRE – *Jules empaillé* - Balland – 1975
- *LES JARDINS MÉDITERRANÉENS* - collectif - exposition Villeneuve les Avignon – 1981

Remerciements

Merci aux maîtres de ces lieux magiques, aux jardiniers qui m'ont laissé visiter, contempler leurs jardins.

Merci de continuer à les maintenir en vie pour leur plaisir et celui qu'ils font partager à leurs invités et à leurs visiteurs.

Merci à celles et ceux qui élaborent des guides, qui écrivent et photographient les jardins car ils doublent ainsi le plaisir des amateurs.

Ces jardins sont ici rassemblés pour montrer leur diversité, alors que chacun d'eux mériterait une monographie

Botanique, plantes & jardins aux Éditions ÉQUINOXE

- Herbier de France, *textes et aquarelles de Michèle Delsaute.*
- Blanche Odin, passion aquarelles, *textes de Monique Pujo-Monfran.*
- Herbier de Provence, *photos et compositions végétales de Marine.*
- Arbres et arbustes de Provence et d'ailleurs, *photos et compositions végétales de Marine.*
- Le potager de Provence et d'ailleurs, *photos et compositions végétales de Marine.*
- Petite anthologie du tournesol, *textes de Gilbert Fabiani.*
- Petite anthologie du mimosa, *textes et photos de Franck Ricordel.*
- Les plantes du jardin de santé, *textes de Gilbert Fabiani.*
- Les tisanes, *textes de Gilbert Fabiani, illustrations de Régis Ferré.*
- Découvertes des herbes de Provence, *textes de G. Fabiani, Illustrations de Lizzie Napoli.*
- Carnet d'adresses provençal, *grand format, illustrations couleurs de Michèle Delsaute.*
- Carnet d'adresses provençal, (2 couvertures différentes) *petit format, illustrations couleurs de Michèle Delsaute.*
- Mini-carnet d'adresses provençal, *illustrations couleurs de Michèle Delsaute.*
- Carnet d'adresses provençal, *petit format, illustrations couleurs de Lizzie Napli.*
- Mini-carnet d'adresses provençal, *illustrations de Lizzie Napoli.*
- Ma Provence au fil des jours, Livre d'heures, *petit format, illustrations couleurs de Lizzie Napoli.*
- Ma Provence jour après jour, Livre d'heures, *grand format illustrations couleurs de Michèle Delsaute.*
- Quatre saisons en Provence, Livre d'heures, *petit format, illustrations couleurs de Marie Le Glatin.*
- Carnet d'adresses de nos montagnes, *grand format, illustrations couleurs de Michèle Delsaute.*
- Carnet d'adresses de nos montagnes, (2 couvertures différentes) *petit format, illustrations couleurs de Michèle Delsaute.*
- Mini-carnet d'adresses montagne, *illustrations couleurs de M. Delsaute.*
- Ma montagne jour après jour, Livre d'heures, *grand format, illustrations couleurs de Michèle Delsaute.*
- Carnet d'adresses de Bretagne, *grand format et petit format, illustrations couleurs de Michèle Delsaute.*
- Ma Bretagne, jour après jour, Livre d'heures, *grand format, illustrations couleurs de Michèle Delsaute.*
- Mini-carnet d'adresses Bretagne, *illustrarion couleurs de Michèle Delsaute.*
- Mon jardin jour après jour, *grand format, aquarelles de Marie Le Glatin-Keis.*
- Mon agenda perpétuel aux quatre saisons, (2 couvertures différentes), *petit format, illustrations couleurs de M. Delsaute.*
- Mémoires de la figue, *textes d'Henri Joannet.*
- Mémoire de la lavande, *textes de Gilbert Fabiani.*
- Mémoire de l'olivier, *textes de Gérard Rossini.*
- Secret de jardins, jardins secrets (aide-mémoire), *textes et iconographie d'Anne Ramat.*
- Carnet du petit provençal : l'olivier, *textes de Sandrine Moirenc,* illustrations de Régis Ferré.
- Carnet du petit provençal : la lavante, *textes de Sandrine Moirenc,* illustrations de Régis Ferré.

Achevé d'imprimer en octobre 2002
sur les presses de l'imprimerie Grafiche Zanini,
à Bologne (Italie)

Photogravure : Reprolongo (Italie)

Montage : Atelier EquiPage - Marseille